Spaziergang durch Kronberg

PUBLISHED BY THREE LOOSE COCONUTS 

Genießen Sie den Spaziergang durch Kronberg und seine Umgebung

Blick von der Burg auf die Altstadt

Liebe Spaziergänger. Zuerst möchte ich mich vorstellen. Ich bin am 14 Februar 1949 in Kronberg geboren und dort mit meinen zwei Brüdern aufgewachsen.

Die Erinnerungen an meine Kindheit sind geprägt von alten Gassen, versteckten Winkeln, Löschweihern, gebauten Höhlen in der Hardt und im Burggarten und Staudämmen am Rentbach.

Wir wuchsen unbeschwert und behütet auf, Kronberg war ein einziger großer Spielplatz in unserer Jugend.

1974 bin ich nach Australien ausgewandert, lebte und arbeitete in Sydney.

1990 verlegte ich meinen Lebensmittelpunkt auf die Fidschi Inseln, was für mich als Fotograf ein absoluter Traum war!

Seit 2002 lebe ich wieder an der Australischen Ostküste, umgeben von 4 Kindern und 5 Enkelkindern.

Zurückblickend war mein Leben ein Spaziergang durch Kontinente mit unvergesslichen Bildern, die ich versucht habe, in meiner Arbeit weiterzugeben.

So möchte ich Ihnen mein Kronberg, wie ich es nach 30 Jahren wieder gefunden habe, in diesem Buch zeigen.

Wenn ich auch auf der anderen Seite der Erde lebe, bin ich Kronberger, bin stolz auf meine Heimatstadt, meine Kindheit und meine Klassenkameraden, ohne deren Hilfe dieses Buch nicht zustande gekommen wäre.

Viel Spass beim Spaziergang durch Kronberg.

Peter J. Henning

Dear fellow walkers...

First, let me introduce myself. I was born in Kronberg on February 14, 1949 and I grew up there with my two brothers.

Memories of my childhood were in the cobblestone streets, in the hiding places of the castle garden, in the chestnut forest and in the dams we built to flood the creek *Rentbach*.

As a child I was light-hearted and happy, and Kronberg was a great playground to grow up in.

In 1974 I left Kronberg and migrated to Australia, where I lived and worked in Sydney. In 1990 I decided to move to Fiji. As a photographer, the islands where a *dream come true*.

Since 2002, I have returned to Australia's "East- Coast" where I am happily surrounded by my four children and five grandchildren.

Looking back at my life, it's been like a walk through a series of unforgettable images, which I try to capture in my photographic work. After 30 years, to return to Kronberg, I found again the place where I grew up. I enjoy sharing the rediscovery with you in this book.

Even though I now live on the other side of the world, I am, and always will be, a Kronberg boy. I'm proud of my hometown, of my childhood and of my friends - the ones I went to school with - for without them, this book would not have been possible.

Please, enjoy the book and a

pleasant walk through Kronberg.

Chers Compagnons...

D'abord, laissez-moi me présenter, Je suis né à Kronberg le 14 février 1949 et j'ai grandi dans cette ville avec mes deux frères.

Les mémoires de mon enfance étaient dans les rues pavés, dans les cachettes du jardin du château, dans les forêts de châtaigniers et dans les barrages d'eau que nous construisions pour inonder le Rentbach.

En étant enfant j'étais joyeux et heureux, et Kronberg était un super terrain de jeux à parcourir en grandissant!

En 1974 je suis parti de Kronberg et j'ai émigré en Australie, où je me suis installé et pendant 18 années j'ai travaillé à Sydney. En 1990 j'ai décidé de me déplacer aux Iles de Fiji. En tant que photographe, les îles se sont avérées qu'un rêve peut devenir vrai.

Depuis 2002, je suis revenu sur la côte Est de l'Australie, où je suis très heureux, entouré par mes quatre enfants et cinq petits enfants.

Lorsque je regarde en arrière sur ma vie, ça été comme une promenade à travers une série d'images inoubliables, desquels j'essaye de capturer dans mon travail de photographie. Après 30 ans, retour à Kronberg, je trouve encore l'endroit là où j'ai grandi. J'apprécie avec plaisir de partager la redécouverte avec vous en ce livre.

Quoique je vis maintenant de l'autre côté du monde, je suis, et je le serai toujours, un garçon de Kronberg. Je suis fier de ma ville natale, de mon enfance et de mes amis - avec ceux dont je suis allé à l'école - pour eux et sans eux, ce livre n'aurait pas été possible.

S'il vous plait, appréciez ce livre et une

plaisante promenade de Kronberg.

Cari amici viaggiatori...

Per prima cosa, lasciate che mi presenti. Sono nato a Kronberg il 14 Febbraio 1949 e sono cresciuto là con i miei due fratelli.

Tra i miei ricordi d' infanzia conservo lestrade acciottolate, i nascondigli nei giardini del castello, la foresta di castagni e le dighe che costruivamo per far straripare il ruscello Rentbach.

Da bambino ero felice e spensierato, e Kronberg era un grande parco giochi nel quale crescere.

Nel 1974 lasciai Kronberg ed emigrai in Australia, dove ho vissuto e lavorato a Sydney. Nel 1990 ho deciso di trasferirmi alle Fiji. Da fotografo posso dire che le isole erano un sogno divenuto realtà.

Dal 2002 sono tornato sulla "East Coast" australiana, dove sono felicemente circondato dai miei quattro figli e da cinque nipotini.

Ripensando alla mia vita, posso tranquillamente affermare che è stata una bella passeggiata attraverso una serie di momenti indimenticabili, che ho sempre cercato di catturare nelle mie fotografie. Dopo 30 anni, tornando a Kronberg, ho ritrovato il posto in cui sono cresciuto. Mi piace condividerlo e riscoprirlo insieme a voi in questo libro.

Anche se ora vivo all'altro capo del mondo, sono e sarò sempre un ragazzino di Kronberg. Sono orgoglioso della mia città, della mia infanzia e dei miei amici – quelli con i quali andavo a scuola – perchè senza di loro non avrei mai potuto realizzare questo volume.

Vi auguro una buona lettura e una

piacevole passeggiata a Kronberg.

Anton Burger, Mitbgründer der Malerkolonie in Kronberg geb. 1824–1905 Denkmal am Schillerweiher

Kronberger Geschichte

Das *Wahrzeichen*, die Burg, wurde um 1220 errichtet, als sich die *'Ritter von Askenburne'* (Eschborn) teilten. Kronberg im Taunus erhielt am 25. April 1330 durch Kaiser Ludwig den Bayern Stadtrechte. 1367 verlieh Kaiser Karl IV. der Stadt Marktrechte sowie Blutgerichtsbarkeit.
1704 fiel Kronberg als Reichslehen an das Kurfürstentum Mainz. Von 1803-1866 war es Nassau-Usingen zugehörig und ab 1866 fiel es an Preußen. Heute gehört Kronberg zum Bundesland Hessen.

In der Mitte des 19. Jh. zieht Kronberg durch die unmittelbare Nähe Frankfurts Kaufleute und Bankiers an, die sich ihre Sommersitze in der klimatisch günstigen und idyllischen Lage errichten. In diese Zeit fällt auch die Gründung der Kronberger Malerkolonie mit Künstlern wie Anton Burger, Jakob Fürchtegott Dielmann, Philipp Rumpf und Peter Burnitz. Der Bau der Bahnverbindung Kronberg - Rödelheim 1874 verhilft Kronberg zu weiterem wirtschaftlichen Aufschwung.

Die wohl prominenteste Bewohnerin der Stadt war Kaiserin Victoria (1840-1901), Witwe des *'99-Tage-Kaisers'* Friedrich III., Tochter der Queen Victoria von Großbritannien und Albert von Sachsen-Coburg und Gotha. Ihr Witwensitz, Schloss Friedrichshof, gehört heute als das berühmte Schlosshotel Kronberg mit einem herrlichen 18-Loch-Golfplatz zur Gruppe *'Leading Hotels of the World'*.
In der näheren Vergangenheit brachte die Gebietsreform von 1972 die Fusion mit den Gemeinden Schönberg und Oberhöchstadt. Städtepartnerschaften wurden gegründet mit Le Lavandou, Frankreich (1972), Ballenstedt (1988), Porto Recanati, Italien (1993) und Aberystwyth, Wales (1997).

Hauptattraktion von Kronberg ist die sehr gut erhaltene Altstadt, wo die Kopfsteinpflaster, Fachwerkhäuser und mittelalterliche Architektur wunderbar erhalten blieben. Zu den geschichtsträchtigen Sehenswürdigkeiten gehören die Streitkirche, Receptur, Schloss Friedrichshof, Galerie Hellhof, Burg Kronberg, die Johannis Kirche and die St. Peter und Paul Kirche.

Kronberg ist staatlich anerkannter Luftkurort, der viele Besucher anzieht, welche die heilende Wirkung der Luft und die saubere Umwelt genießen. Man sollte nicht versäumen, die Kronthaler Mineralquellen aufzusuchen, durch die herrlich bunten Kastanienwälder oder durch den Victoria Park zu gehen und die lokalen landwirtschaftlichen Erzeugnisse wie: Erdbeeren, Äpfel, Kirschen und die kleinen süßen Mirabellen zu kosten.

Während des gesamten Jahres finden hier viele kulturelle Veranstaltungen statt. Dazu gehören das Cello-Festival, das Schafhof-Festival der Linsenhoff-UNICEF-Stiftung, der Bilder- und Weinmarkt, der Herbstmarkt, der Apfelmarkt und der Weihnachtsmarkt. Die 2-tägige *'Thäler Kerb'*, die von den Bewohnern der Altstadt ins Leben gerufen wurde, ist die Attraktion für viele Gäste, auch für jene, welche ihre Heimatstadt gerade an diesen beiden Tagen besuchen, um *'alte Kronberger'* dort wiederzusehen!

A short History of Kronberg

Kronberg's central landmark, the Castle, was built around 1220 when the group of knights known as *'Ritter of Askenburne'* split up. Kronberg im Taunus was first granted town charter by Emperor Ludwig the Bavarian on 25th April 1330. In 1367 the city was again granted rights by Emperor Karl IV, which were Market Rights and Blood Justice.

In 1704 Kronberg came under the electorate of Mainz as an Imperial feoff. From 1803 to 1866 it belonged to Nassau-Usingen, and from 1866 onwards it came under the reign of Prussia. Today, Kronberg belongs to the Federal State of Hesse.

In the middle of the 19th century, based on its proximity, Kronberg started to attract Frankfurt's business people and bankers. They set up their summer residences in this climatically agreeable and idyllically situated environment. This was also the time of the foundation of the Kronberger Malerkolonie (Kronberg Painters' Colony) with artists such as Anton Burger, Jakob Fürchtegott Dielmann, Philipp Rumpf and Peter Burnitz. The construction of the railway to Rödelheim in 1874 boosted Kronberg's economic upswing even further.

The most famous citizen of Kronberg was Empress Victoria (1840-1901), who was the widow of Emperor Friedrich III (known as the *'99-Days-Emperor')* and the daughter of Queen Victoria of Great Britain and Albert of Sachsen-Coburg and Gotha. Castle Friedrichshof (which was Empress Victoria's residence as a widow) is operating today as the famous Schlosshotel Kronberg, belonging to the Group *'Leading Hotels of the World'* and boasts a magnificent 18 hole golf course.

More recently, the local government reform in 1972 brought the fusion of the neighbouring communities of Schönberg and Oberhöchstadt. Twin towns to Kronberg were established, and these are Le Lavandou in France (1972), Ballenstedt in Germany (1988), Porto Recanati in Italy (1993) and Aberystwyth in Wales (1997).

Central to Kronberg is the well-preserved Old Town, where the cobblestoned streets, traditional houses and medieval architecture have been beautifully maintained. Historic landmarks of the city include Streitkirche, Receptur, Schloss Friedrichshof, Gallery Hellhof, Castle Kronberg, Johannis Church and the St. Peter and Paul Church.

Kronberg is officially recognised as a *'climatic spa'* and today attracts many visitors who come for the healing qualities of the air and the clean environment. While you are visiting, make sure you try the Kronthaler Mineralquellen (mineral springs), walk through the colourful chestnut forests or through the large Victoria Park, and share in the seasonal farm produce, such as strawberries, apples, cherries and the small sweet mirabelles.

Throughout the year, many cultural events are celebrated, including the Cello-Festival, the Schafhof-Festival of the Linsenhoff-UNICEF-Trust, the Picture and Wine Market, the Autumn Market, the Apple Market and Christmas Market. The two-day *'Thäler Kerb'* Fair, which was initiated by the citizens of the Old Town, attracts many visitors, including those who are returning to their home town to reunite with the *'old'* Kronbergers.

Une histoire courte de Kronberg:

Le point de repère au centre de Kronberg est le château, construit au environ de 1220 lorsque le groupe de chevaliers connus sous le nom de Ritter d'Askenburne se sont dispersés. Kronberg Im Taunus a été accordé pour la première fois affrété ville urbaine par l'Empereur Ludwig le Bavarois, le 25 avril 1330. En 1367 la ville a été de nouveau accordée de droit par l'Empereur Karl IV, dont lesquelles étaient les droits du commerce et de la justice de sang.

En 1704 Kronberg s'est trouvé sous l'électorat de Mainz comme Impérial feoff. De 1803 à 1866 il appartenait à Nassau-Usingen, et à compter de 1866 il est tombé sous le règne de la Prusse. Aujourd'hui, Kronberg appartient à l'état fédéral de Hessen.

Au milieu du 19ème siècle, basé sur sa proximité, Kronberg commença à attirer les personnes du commerce et des banquiers d'affaires de Francfort. Ils ont établi leurs résidences d'été avec un climat agréable et situé dans un environnement idéal. C'était également la période de la fondation du Kronberger Malerkolonie (Colonie de peintres de Kronberg) avec des artistes tels qu'Anton Burger, Jakob Fürchtegott Dielmann, Philipp Rumpf et Peter Burnitz. La construction de la voie ferrée Kronberg-Rödelheim en 1874 a amplifié l'amélioration économique de Kronberg encore plus loin.

La citoyenne la plus célèbre de Kronberg était l'Impératrice Victoria (1840-1901), qui était la veuve de l'Empereur Friedrich III (connu sous le nom de l'Empereur de 99 jours) et la fille de la Reine Victoria de la Grande-Bretagne et d'Albert de Sachsen-Cobourg et Gotha. Le château Friedrichshof (qui était la résidence de l'Impératrice en tant que veuve) opère aujourd'hui comme le célèbre Schlosshotel Kronberg, appartenant aux groupes d'hôtels principaux du monde et revendique un magnifique terrain de golf à 18 trous.

Gruss aus Cronberg i. T.

Plus récemment, la réforme du gouvernement local en 1972 a apporté la fusion des communautés voisines de Schönberg et d'Oberhöchstadt. Deux villes jumelles se sont établies à Kronberg, et elles sont: Le Lavandou en France (1972), Ballenstedt en Allemagne (1988), Porto Recanati en Italie (1993) et à Aberystwyth au pays de Galles (1997).

La Ville centrale de Kronberg est une ancienne ville bien-préservée, où les rues pavées, les maisons traditionnelles et l'architecture médiévale ont été admirablement maintenues. Les monuments historiques de la ville incluent Streitkirche, Receptur, Schloss Friedrichshof, la galerie Hellhof, le château de Kronberg, L'église de Johannis et de Saint Peter et Paul.

Kronberg est officiellement reconnue comme une station thermale et de nos jours attire beaucoup de visiteurs qui viennent pour la qualité curative de l'air et de l'environnement saint et propre. Pendant que vous visitez, assurez vous d'essayer le Kronthaler Mineralquellen (source de minéraux), promenez-vous à travers les forêts colorées de châtaigniers ou bien parcourez le grand parc de Victoria, et profiter des produits saisonnier de ferme, tel que des fraises, des pommes, des cerises et des toutes petites mirabelles sucrées (prunes jaunes).

Tout au long de l'année, beaucoup d'événements culturels y sont célébrés, y compris le Festival de la Violoncelle, le Festival de Schafhof et de l'organisation - UNICEF - à Linsenhoff, l'image et le marché vitivinicole, le marché d'Automne, le marché des pommes et le marché de Noël. Sans oublier les deux jours de fêtes à Thâler Kerb, qui a été lancé par les citoyens de l'ancienne ville, attire beaucoup de visiteurs, y compris ceux qui reviennent à leur ville natale pour réunir les Anciens Kronbergers.

Breve storia di Kronberg

Il punto di riferimento di Kronberg è il Castello, costruito nel 1220 circa quando il gruppo di cavalieri noto con il nome di "Ritter di Askenburne" si divise. A Kronberg im Taunus fu inizialmente garantito uno statuto cittadino il 25 Aprile 1330 dall'Imperatore Ludovico di Baviera. Nel 1367 l'Imperatore Carlo IV concesse alla città i diritti di commercio e giustizia.

Nel 1704 Kronberg divenne un feudo Imperiale sotto il comando di Magonza. Dal 1803 al 1866 la città appartenne a Nassau-Usingen e dal 1866 in poi fu inglobata nel regno di Prussia. Oggi, Kronberg fa parte dello Stato Confederato dell'Assia.

Intorno alla metà del XIX secolo, grazie alla sua vicinanza a Francoforte, Kronberg iniziò ad attrarre banchieri e altri uomini d'affari provenienti dalla grande città, che stabilirono le loro residenze estive in questo luogo dal clima piacevole e dalla posizione idilliaca. In questo stesso periodo fu fondato il Kronberger Malerkolonie (la Colonia dei Pittori di Kronberg) che riuniva artisti come Anton Burger, Jakob Fürchtegott Dielmann, Phillip Rumpf e Peter Burnitz. Nel 1874 la costruzione della ferrovia da Kronberg a Rödelheim contribuì notevolmente alla crescita positiva di Kronberg.

La cittadina più famosa di Kronberg fu l'Imperatrice Vittoria (1840-1901), vedova dell'Imperatore Federico III di Germania (conosciuto come "l'Imperatore dei 99 Giorni") e figlia della Regina Vittoria d'Inghilterra e di Albert di Sassonia-Coburg -Gotha. Il Castello di Friedrichshof (residenza vedovile dell'Imperatrice Victoria) è sede oggi del famoso Schlosshotel Kronberg, che fa parte del gruppo "Leading Hotels of the World" e fa bella mostra di sé con il suo magnifico campo da golf da 18 buche.

In tempi più recenti, la riforma del governo locale del 1972 ha portato all'unione di Kronberg con le vicine comunità di Schönberg e Oberhöchstadt. Nel corso degli anni hanno avuto luogo gemellaggi con Le Lavandou in Francia (1972), Ballenstedt in Germania (1988), Porto Recanati in Italia (1993) e Aberystwyth nel Galles (1977).

Al centro di Kronberg c'è la Città Vecchia, con gli acciottolati, le case tradizionali e l'architettura medievale che magnificamente conservati.
I punti di interesse storico della città includono Streitkirche, Receptur, Schloss Friedrichshof, la Galleria Hellhof, il Castello Kronberg, la Chiesa di Johannis e la Chiesa di San Pietro e Paolo.

Kronberg è ufficialmente riconosciuta come un "centro termale climatico" e oggi attrae molti visitatori che arrivano qui per le salutari qualità dell'aria e l'ambiente pulito. Durante la vostra visita, assicuratevi di provare le Kronthaler Mineralquellen (sorgenti minerali), passeggiate attraverso le coloratissime foreste di castagni o al grande Parco Victoria e assaggiate i prodotti stagionali locali, come fragole, mele, ciliegie e le piccole e dolci prugne mirabelle.

Durante tutto l'anno vengono celebrati molti eventi culturali, incluso il Cello-Festival, lo Schafhof-Festival per il Fondo UNICEF-Linsenhoff, il Mercato di Quadri e Vino, il Mercato Autunnale, il Mercato delle Mele e il Mercato di Natale. La fiera "Thäler Kerb", che dura due giorni e che fu inaugurata dagli abitanti della Città Vecchia, attrae molti visitatori, inclusi quelli che tornano in

Wochenmarkt auf dem Berliner Platz

Stadthalle am Berliner Platz

Wochenmarkt

Ritter Hartmut

Der neu gestaltete 'alte Schulgarten'

Büste des Cellisten Mstislav Rostropovich im Schulgarten

Tanzhaus

Straßenmärkte und
Straßenfeste

Friedrich-Ebert-Straße

Am Tanzhaus

Pferdstraße

Zeichen der langen Geschichte

von Kronberg

Eichenstraße mit dem einzigen erhaltenen Stadttor

Schutt-Treppe von der Königsteiner Straße

Altes Fachwerkhaus in der Mauerstraße

HELLHOF

Hellhof, wurde 1963 von Julius Hembus erworben und restauriert und wird heute für Ausstellungen und Veranstaltungen benutzt

Eines der ältesten Fachwerkhäuser in Kronberg

Pferdstraße 5

Die 'Schirn' - Marktplatz und das Zentrum des alten Kronberg

Oben: Mauerstraße

Links: Doppesstraße mit Blick zum Burgturm.

Links: Alte Drei Ritter, errichtet Ende des 15. Jahrhunderts

Eingang zur Burg Kronberg und Stadtmuseum

Eingang zur Mittelburg

Innenhof der Mittelburg

Kapelle und Eingang der Oberburg

Blick zum Turm vom Prinzengarten

Eingang zum Prinzengarten

Kronenstamm Haus und Prinzenturm

Links: Prinzengarten mit Kapelle und Blick auf Kronberg

Altstadt

Kronberger Rathaus, ehemalige Villa Bonn

Schirnbrunnen, gestaltet von Fritz Best

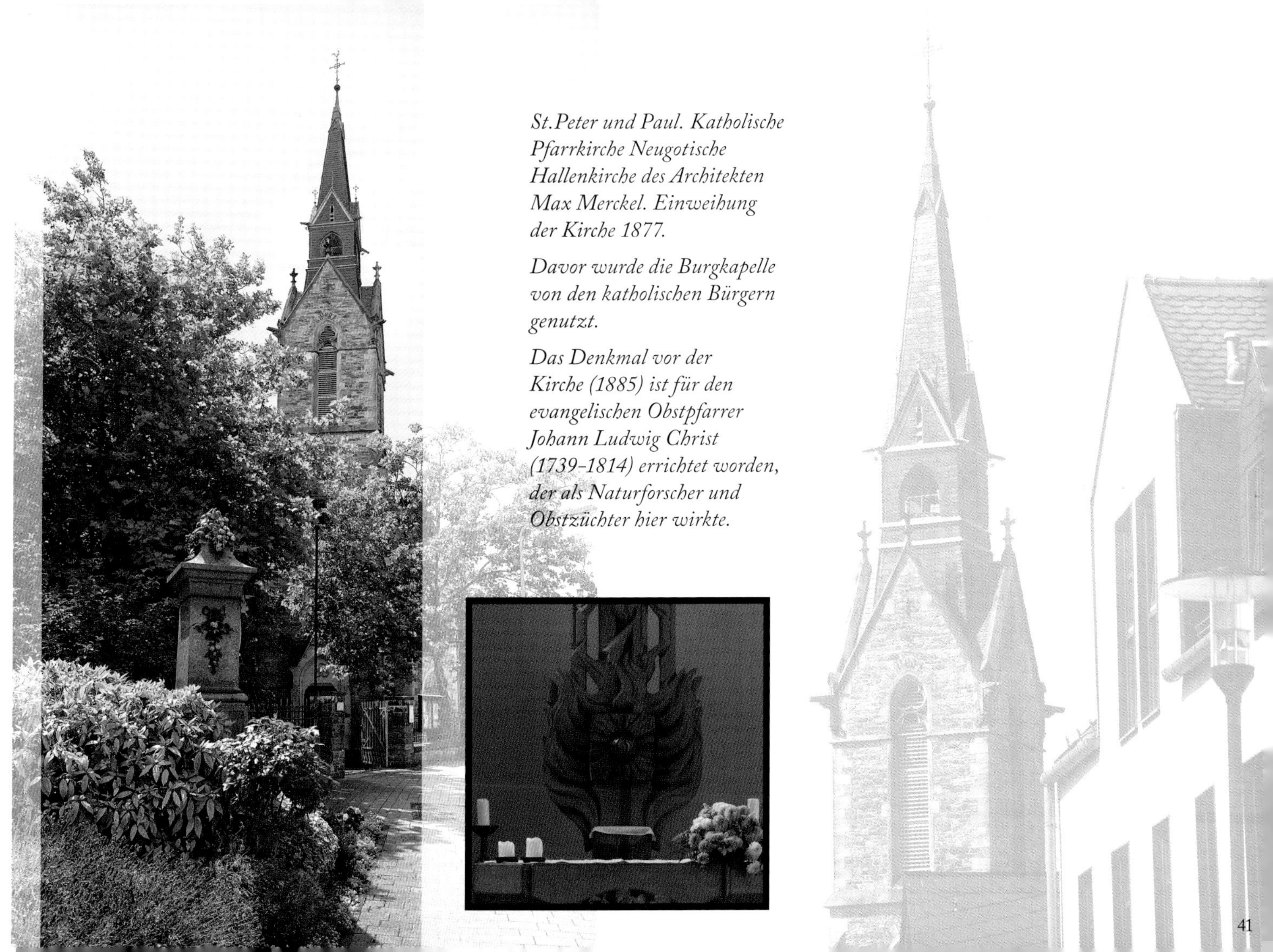

St. Peter und Paul. Katholische Pfarrkirche Neugotische Hallenkirche des Architekten Max Merckel. Einweihung der Kirche 1877.

Davor wurde die Burgkapelle von den katholischen Bürgern genutzt.

Das Denkmal vor der Kirche (1885) ist für den evangelischen Obstpfarrer Johann Ludwig Christ (1739–1814) errichtet worden, der als Naturforscher und Obstzüchter hier wirkte.

Evangelische Johanniskirche
Erbaut wurde diese Kirche 1440

Das Innere der Johanniskirche: bemalte hölzerne Tonnendecke

Das Grabmal von Frank von Kronberg.

Die Davidsburg an der Stadtmauer und Blick auf die Altstadt

Fachwerkhaus in der Hainstraße

Altes Pförtnerhaus am Eingang zum Schloss

Schloss Friedrichshof, ehemaliger Witwensitz von Victoria von Preußen

Gassen und Fachwerkhäuser der Altstadt

Zeitungen

Talstraße

Schirnbrunnen

Grabmal von Kaspar II von Kronberg auf dem Alten Friedhof

Wer beobachtet wen im Opel Zoo?!

Opel Zoo – gegründet von Dr. Georg von Opel, 1958 durch die Hessische Regierung als Tierpark anerkannt – ein wichtiger Anziehungspunkt für Besucher von Kronberg

Kronthaler Mineralquellen

Reitzentrum Schafhof: ist weit über die Grenzen Kronbergs bekannt und wird auch für kulturelle Anlässe von der Besitzerin Ann Kathrin Linsenhoff benutzt

Blick auf Kronberg mit Altkönig im Hintergrund

Stadt Kronberg im Taunus
ALLE DIE RECHT &
ALLE DI FRIHEIT
Die Stadtrechte wurden von Kaiser Ludwig der Bayer an Ritter Hartmut und Walter von Kronberg im Jahre 1330 übergeben
Verleihung der Stadtrechte
an die Herren von Kronberg
durch Kaiser Ludwig den Bayern
25. April 1330
Abschrift
Original:
Hessisches Hauptstaatsarchiv
Wiesbaden
Kronen=Stamm
Flügel=Stamm
mit den Eselsohren

Fachwerkhäuser in der Friedrich-Ebert Straße

Alte Drei Ritter, errichtet Ende des 15. Jahrhundert

'Käste' oder Edelkastanien, der Baum gehört zum Stadtbild von Kronberg

Der Bürgeltollen wurde 1928 über 700 Meter in den Berg getrieben

Bürgelstollen: Oberhalb des Schwimmbades mitten im Wald gelegen, ein beliebtes Ziel für Wanderer, Jäger, Familien und dank seinen neuen Pächtern auch wieder der beliebte Treffpunkt für Freunde guter deutscher Küche und Gastlichkeit

Kronberger Waldschwimmbad,
Aussicht vom Bürgelstollen

MTV Kronberg Sport Zentrum

Crêpes
Selbstgemachtes Quittengelee
Selbstgemachtes Quittengelee

Kaiser Friedrich Denkmal im Viktoria Park

Zehntscheune

Älteste Schmiede im Umkreis und seit 100 Jahren in Familienbesitz,
in der noch heute gearbeitet wird

Fritz-Best-Platz in der Grabenstraße
(ehemals 'Klickergärtche')

Fritz Best Bildhauer 1894–1980 ausgezeichnet mit dem Meisterschulpreis der Bildhauer in 1921

Apfelwein Krug oder Bembel: Handbemalt von Willi Girold zur Thäler Kerb

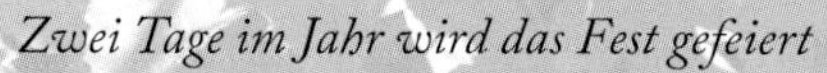

Zwei Tage im Jahr wird das Fest gefeiert

Flügel=Stamm.
mit den Eselsohren
Cronen=Stamm.